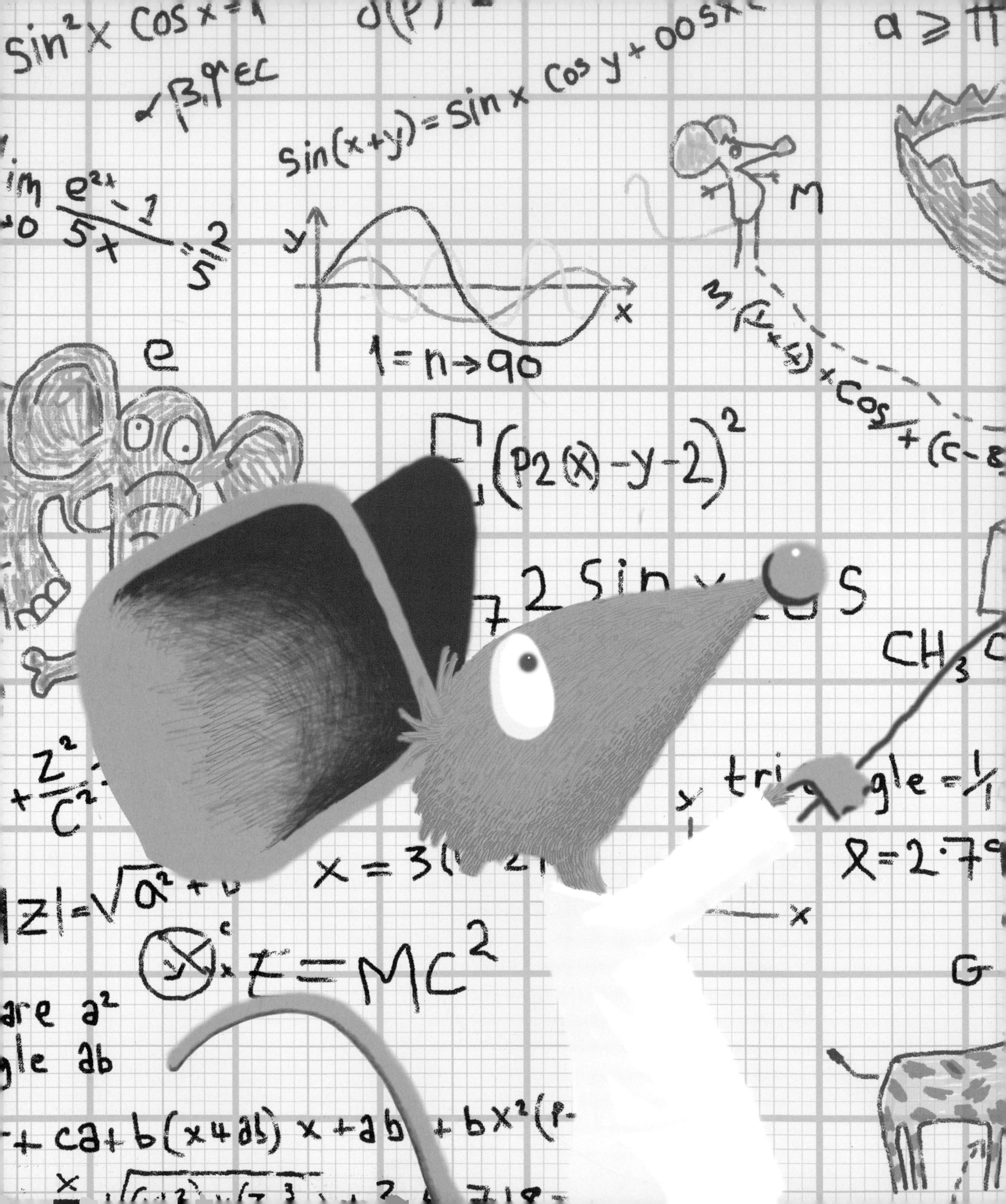

sin(x+y) = sin x cos y + cos x
1 = n → 90
(p2(x) − y − 2)²
2 sin x cos
CH3
x = 3
E = Mc²

$t(x^2) \div \sqrt{9\,y(x)} = p4^2(x)$

a b c e h

c

$4.729 - 1.3(x^2) \times \frac{6}{4}(y^4) = x(\frac{1}{3})$

864
792
46

CH₂ COOH

$(x-j$

fct $\sqrt{6}$

o

fct $\frac{y(\frac{6+9}{2})\frac{4}{2} - \frac{x}{3}}{r(3\,x/2)+9}$

B

A

m

$c^2 - \sinh(x)$

tr

Cyhoeddiad Saesneg gwreiddiol gan Andersen Press. 20 Vauxhall Bridge Road, Llundain SW1V 2SA dan y teitl *The Tickle Test*
Cyhoeddwyd yn Gymraeg gan Wasg y Dref Wen,
28 Ffordd yr Eglwys, Yr Eglwys Newydd, Caerdydd CF14 2EA
Ffôn 029 20617860.
Addaswyd gan Elin Meek
Cyhoeddwyd gyda chymorth ariannol
Cyngor Llyfrau Cymru.
Argraffwyd yn Malaysia.

Y PRAWF GOGLAIS

Kathryn White
Adrian Reynolds
Addasiad Elin Meek

DREF WEN

Mae'n hawdd i ti
oglais **jiráff**
sy'n reit dal,

bydd hi'n **giglan** a
chwerthin nes teimlo'n
reit sâl.

Rhaid goglais
yn ddyfal!

Ac mae goglais ARTH
yn andros o hwyl,

bydd e'n symud a gwingo a sboncio mor annwyl.

Roedd hynna'n annisgwyl!

un sy'n dwlu ar oglais
yw'r octopws mawr,

ond pa un oedd y fraich
a ogleisiodd i nawr?

sgôr berffaith
a chlodfawr.

Er mwyn goglais
teigr,
gwell mynd i
ryw guddfan,

yna'i oglais yn sydyn –
bydd e'n chwerthin a THISIAN!
Mae 'di pasio'r prawf cyfan!

Mae goglais gorilas
yn brofiad dychrynllyd.

Maen nhw'n crafu, yn rholio,
ac yn flewog a drewllyd!

Gydag **eliffant**,
sleifia a **goglais** ei draed.

Ond cadw draw o'i ben-ôl
fe ddaw ddrewdod di-baid!

O, paid!

Mae fflamingos yn dwlu ar oglais a sbri,
ond mae'r plu'n gallu goglais un bychan fel ti.

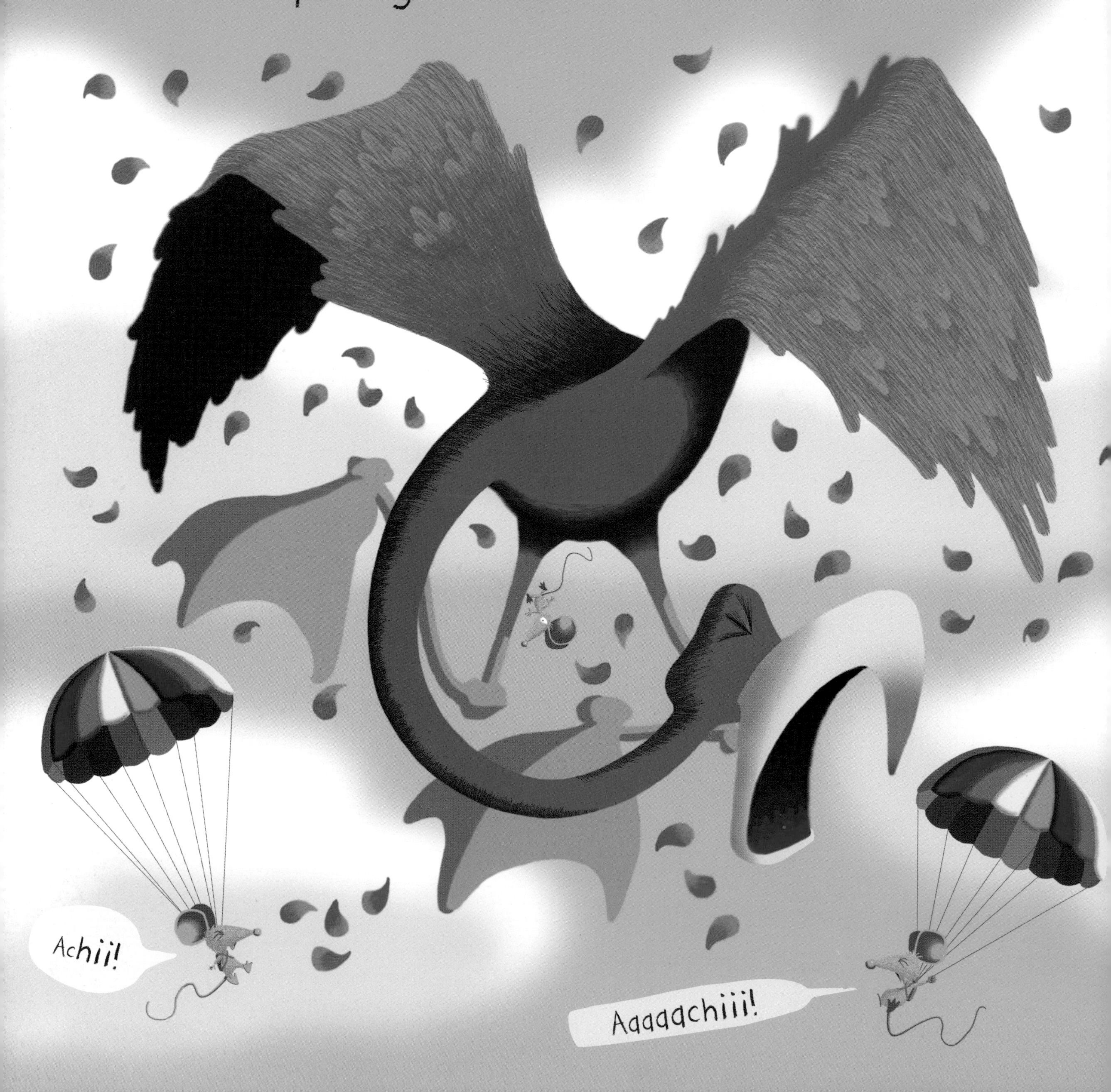

Mae neidr, o'i goglais, yn chwerthin yn fuan:

"Ha-ha-ha, hi-hi-hi, hiss-hiss-hiss hissssssian!"

Mae hon yn un ddiddan!

Dyw goglais hen reino ddim yn hwyl ar bob adeg.
Bydd hi'n gwylltio yn gacwn, felly gwell i ti REDEG!

A sut mae **goglais** y **crocodeil**?
Mae'n brawf mor beryglus,
ond mae'n un gwerth chweil.

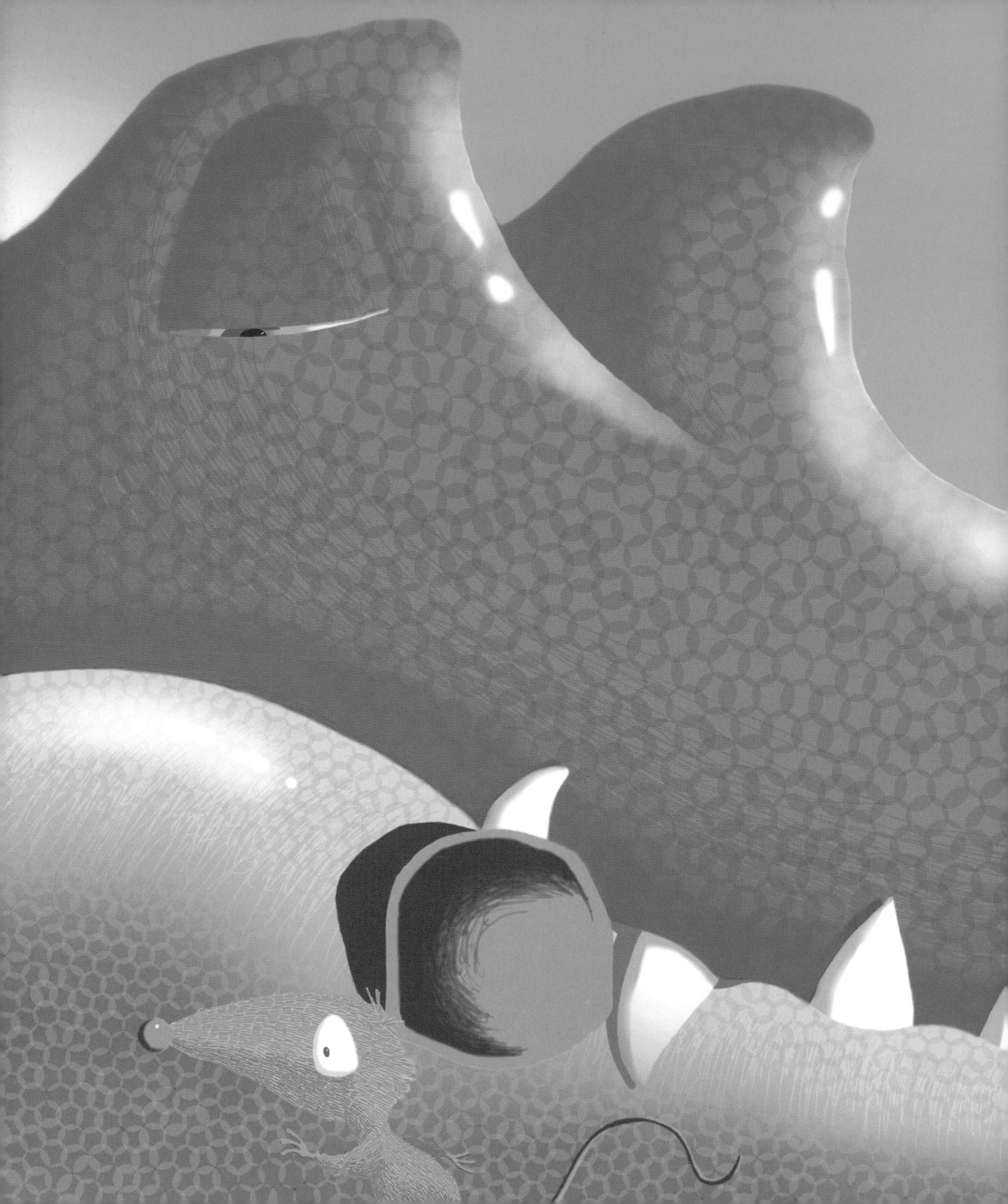

Os bydd e'n dy weld di,
gwell gwibio'n syth wedyn.
Gall y dannedd mawr miniog
dy lowcio'n reit sydyn!

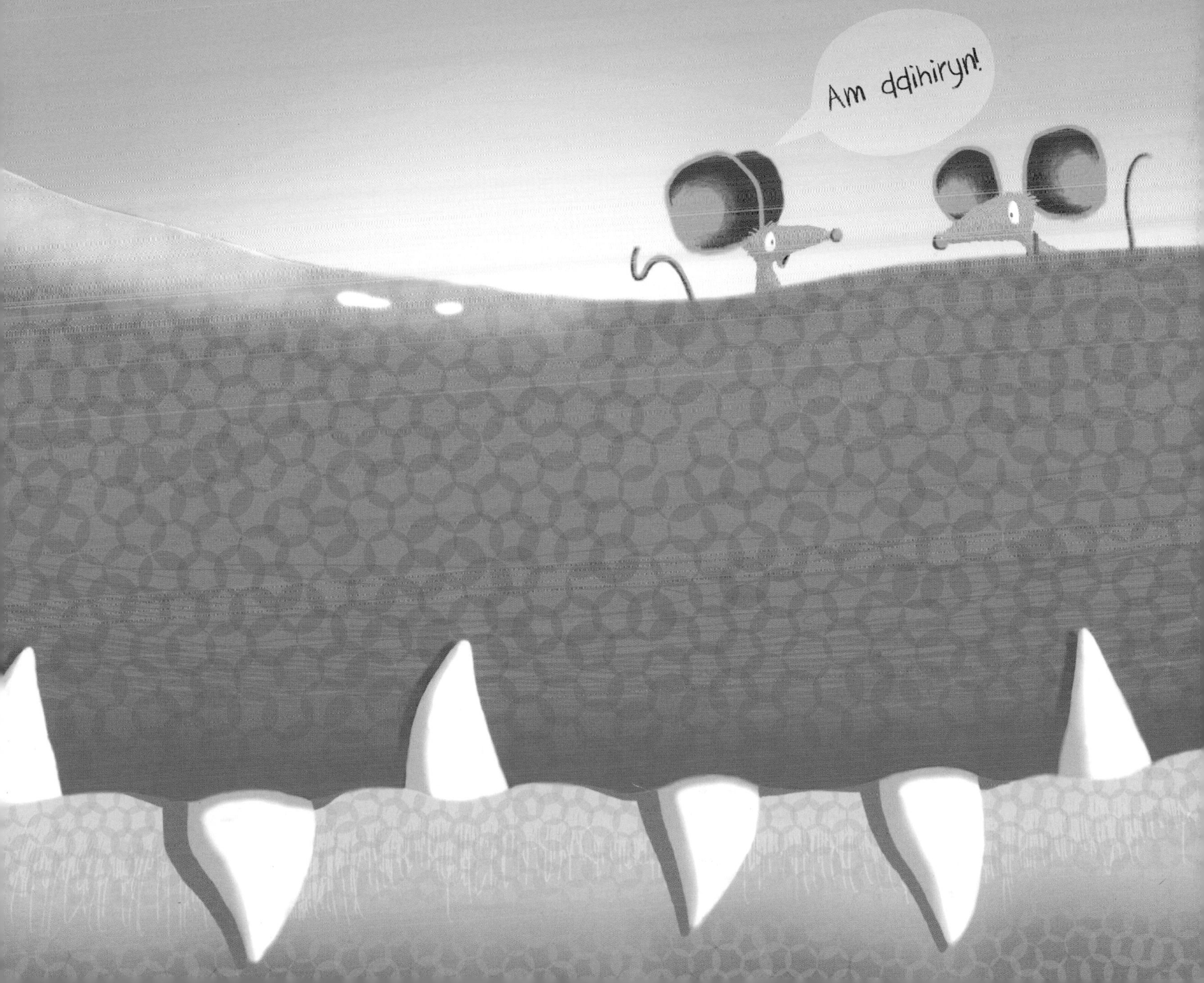

Ond pan fydd yn rholio, cei

SBONCIO

ar ei fola,

bydd e'n chwerthin yn hapus,
fel gwnaiff gyda'i fama!
Mae goglais a chwerthin
yn hwyl mawr a sbri.

Felly plîs dwed ble
dylen ni dy oglais ...

...DI!
CRIW
GOGLAIS

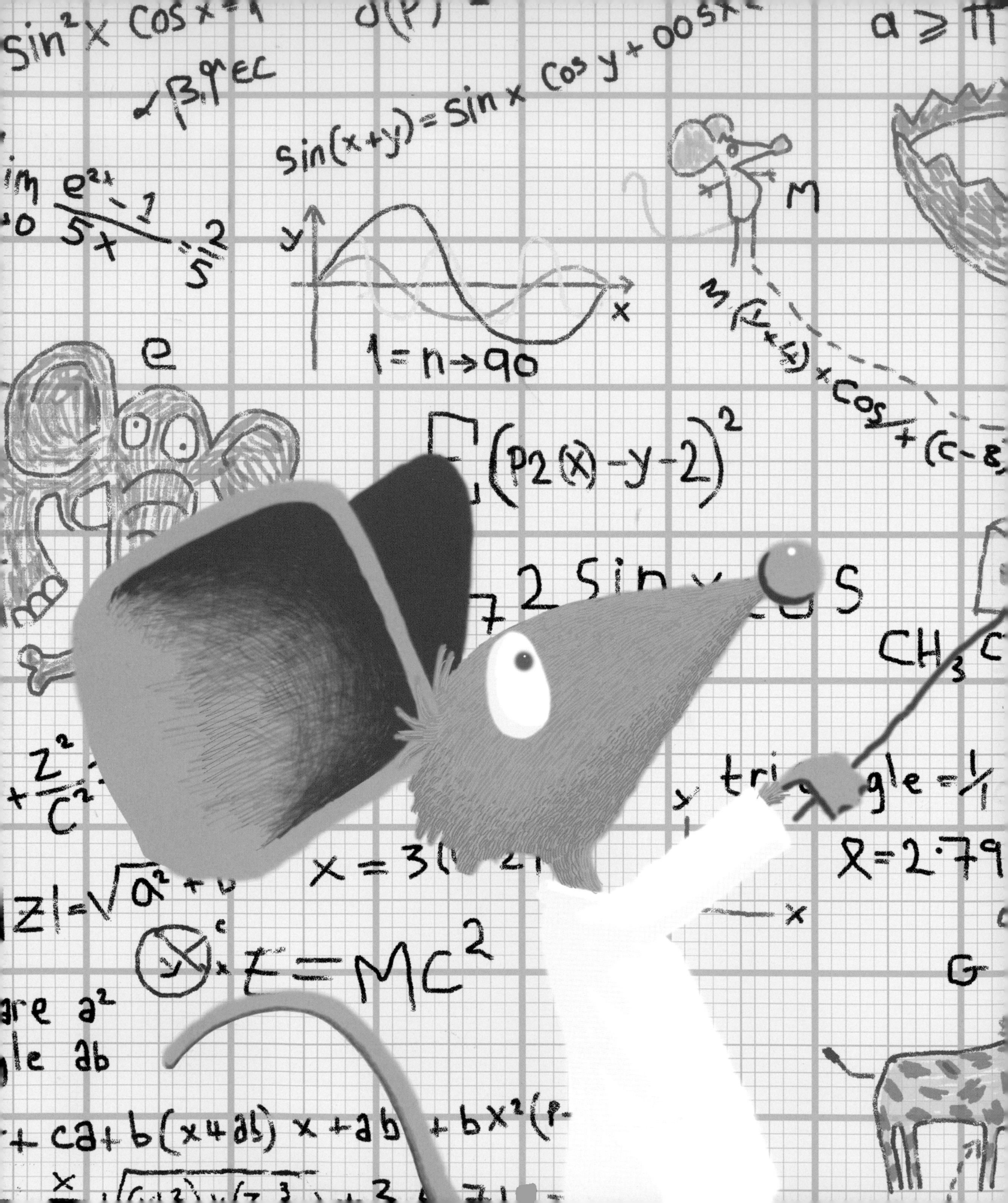

sin(x+y) = sin x cos y + 00sx
1 = n→90
e
M
E = MC²
G
CH₃

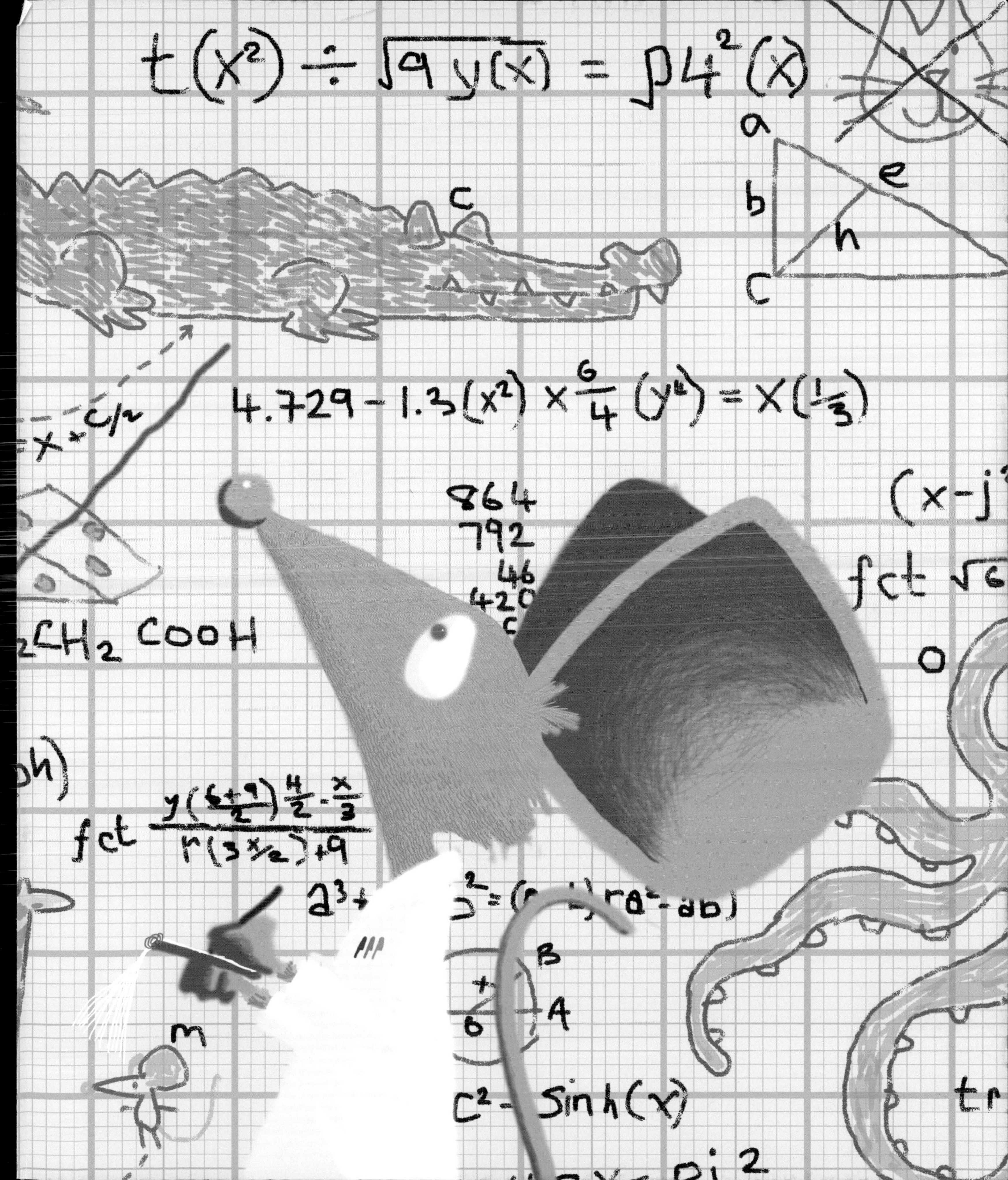

4.729 - 1.3(x²) x 6/4 (y⁴) = X(1/3)
864
792
46
COOH
a
b
c
e
h
C
B
A
m
Sinh(x)